Savais-tu?

Les Crabes

Alain M. Bergeron
Michel Quintin
Sampar

Illustrations de Sampar

Catalogage avant publication de Bibliothèque et Archives nationales du Québec et Bibliothèque et Archives Canada

Bergeron, Alain M.

Les crabes

(Savais-tu? ; 55)
Pour enfants de 7 ans et plus.

ISBN 978-2-89435-629-6

1. Crabes - Ouvrages pour la jeunesse. 2. Crabes - Ouvrages illustrés - Ouvrages pour la jeunesse. I. Quintin, Michel. II. Sampar. III. Titre. IV. Collection: Bergeron, Alain M.. Savais-tu? ; 55.

QL444.M33B472 2013 j595.3'86 C2012-942653-9

Infographie: Marie-Ève Boisvert, Éd. Michel Quintin

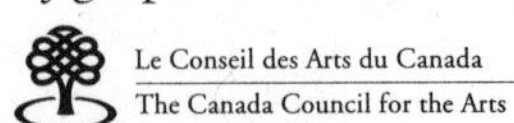

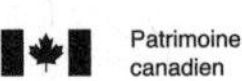

La publication de cet ouvrage a été réalisée grâce au soutien financier du Conseil des Arts du Canada et de la SODEC.

De plus, les Éditions Michel Quintin reconnaissent l'aide financière du gouvernement du Canada par l'entremise du Fonds du livre du Canada pour leurs activités d'édition.

Gouvernement du Québec – Programme de crédit d'impôt pour l'édition de livres – Gestion SODEC

ISBN 978-2-89435-629-6
Dépôt légal – Bibliothèque et Archives nationales du Québec, 2013
Dépôt légal – Bibliothèque et Archives Canada, 2013

Éditions Michel Quintin
4770, rue Foster, Waterloo (Québec)
Canada J0E 2N0
Tél.: 450 539-3774
Téléc.: 450 539-4905
editionsmichelquintin.ca

1 2 - A G M V - 1

Imprimé au Canada

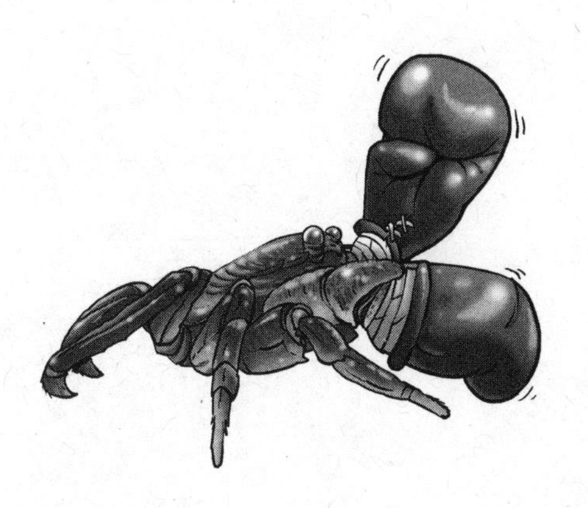

Savais-tu qu'il y a plus de 5 000 espèces de crabes aux formes, grosseurs et mœurs variées ? La plupart habitent les océans, mais certaines vivent dans l'eau douce ou sur

la terre ferme. Chaque année, les scientifiques découvrent une dizaine de nouvelles espèces.

Savais-tu que, tout comme les insectes, les crabes sont des invertébrés avec un exosquelette ? Telle une armure, ce squelette externe recouvre leur corps mou, ce qui leur assure maintien et protection.

POC
ic
POC
Pic
SCHti
SCHti
TOC

TU AS ENCORE MUÉ?

Savais-tu qu'une fois adulte, pour pouvoir continuer de grossir, le crabe doit quitter sa carapace devenue trop petite ? À chaque mue, le crabe, provisoirement sans défense, doit se cacher pour échapper aux prédateurs.

Savais-tu que les crabes constituent d'excellentes proies pour nombre d'espèces animales telles que les poissons, les oiseaux, les mammifères et les pieuvres ? Leur durée de vie varie de 8 à 15 ans.

BON, ÇA VA, QUE LE MEILLEUR ME MANGE!

Savais-tu que ces animaux se déplacent en marchant de côté ? Les crabes soldats sont les seuls à marcher en avant. Grégaires, ils déambulent à heures fixes le long des plages en grandes troupes alignées.

Savais-tu que certaines espèces, comme les crabes fantômes, peuvent atteindre une vitesse de 16 kilomètres à l'heure? On les appelle ainsi à cause de leur couleur blanchâtre et du fait qu'ils émergent brusquement de leur terrier.

Savais-tu qu'on a conçu un robot d'exploration sous-marine en s'inspirant des crabes ? Muni de pattes, ce robot est capable de se mouvoir aussi bien sous l'eau que

sur la terre. Il peut facilement se déplacer sur les rochers et changer de direction, ce qui convient parfaitement à l'exploration des fonds marins.

QUI A DIT QU'ON NE POUVAIT PAS SE SERVIR DE NOS PINCES POUR NOUS DÉPLACER ?

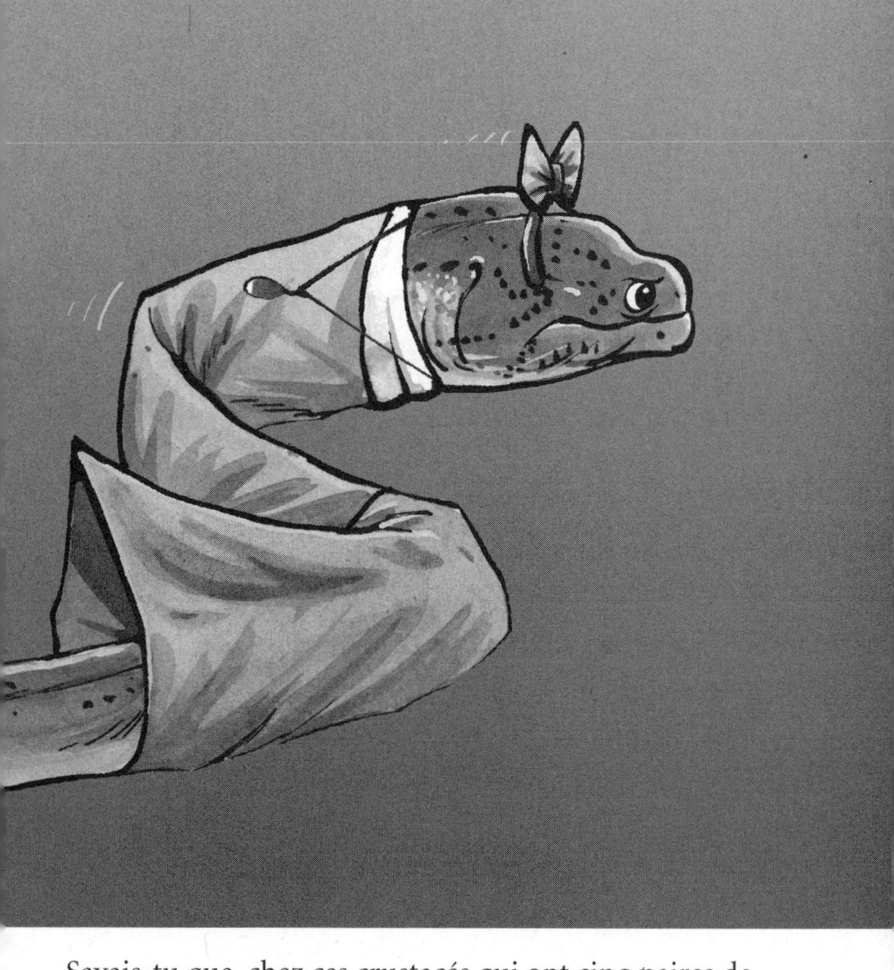

Savais-tu que, chez ces crustacés qui ont cinq paires de pattes, la première ne sert pas à la locomotion ? C'est en fait une paire de pinces.

Savais-tu que la majorité des crabes sont droitiers ? Leurs pinces préhensiles servent à capturer des proies, à manipuler la nourriture et à engager des combats entre rivaux.

ON ME L'A DÉJÀ FAITE, CELLE-LÀ...

Savais-tu que la pince du crabe détient une force égale à 28 fois le poids de l'animal ? En comparaison, la pression qu'exerce la main de l'homme ne représente même pas

une fois son propre poids. Un homme de 75 kilos qui bénéficierait d'une puissance identique disposerait d'une poigne de 2 tonnes.

JE L'AI!
C'EST PLATE JOUER AU BASEBALL AVEC TOI...

Savais-tu que les pinces des crabes sont adaptées à leur régime alimentaire ? Un crabe qui se nourrit de débris organiques trouvés dans la vase ou le sable, par exemple, a des pinces en forme de cuillères.

Savais-tu que les crabes qui se nourrissent de mollusques possèdent une pince munie de grosses dents qu'ils utilisent comme un casse-noix ? L'autre, très effilée, leur sert à extraire la chair de leurs proies.

AYOYE!

WOW! ELLE EST IMPRESSIONNANTE, TA PINCE, GRAND-PAPA!

Savais-tu que, chez les crabes violonistes, le mâle a une pince démesurée qui ne sert qu'à la parade et qui, bien souvent, est plus grande que son corps ?

Savais-tu que, lorsqu'il se sent en danger, le crabe boxeur agite de petites anémones venimeuses pour menacer ses adversaires ? Ses pinces spécialisées dans la saisie des anémones sont incapables de remplir une autre fonction.

JE T'AI DIT D'UTILISER TA DROITE!
MAIS C'EST CE QUE JE FAIS!!!

Savais-tu que, si un prédateur attrape la patte d'un crabe, celui-ci l'abandonne pour mieux s'enfuir ? Cette amputation spontanée est un phénomène réflexe.

Le crustacé développera au cours des mues suivantes un nouvel appendice.

Savais-tu que de récentes recherches ont démontré que non seulement les crabes ressentent la douleur, mais aussi qu'ils s'en souviennent?

Savais-tu que la femelle pond des milliers d'œufs et que, chez certaines espèces, ce chiffre peut atteindre plusieurs millions ? La femelle garde ses œufs, qui donneront

naissance à des larves, sous son abdomen jusqu'au moment de l'éclosion.

Savais-tu que l'île Christmas, dans l'océan Indien, abrite plus de 120 millions de crabes rouges ? Cela représente plus d'un crabe par mètre carré. Périodiquement, ils forment de massives migrations de la jungle vers la mer pour aller

pondre leurs œufs. Beaucoup de routes sont alors fermées pour éviter que des dizaines de milliers de crabes périssent sur la chaussée.

Savais-tu que le goût et l'odorat très développés des crabes leur permettent d'identifier leur nourriture, mais aussi leurs partenaires sexuels? Par ailleurs, les crabes n'ont pas d'ouïe, mais ils sont sensibles aux vibrations.

DÉSOLÉE, C'EST CE FICHU RHUME...

Savais-tu que la vue du crabe est exceptionnelle ? Ses yeux, très développés, sont extrêmement mobiles. Ils sont portés par de longs pédoncules. Au repos, les pédoncules oculaires

sont couchés dans leur orbite ; quand l'animal est actif, ils se dressent verticalement.

Savais-tu que, pour survivre, les crabes doivent savoir se camoufler ? Si certains se dissimulent dans les fissures des rochers ou s'enfoncent dans le sable, d'autres au contraire

s'immobilisent à l'approche du danger et prennent l'aspect et la couleur du support sur lequel ils reposent.

MAIS OÙ IL EST, CE PARESSEUX ? ON A UNE PARTIE À JOUER...

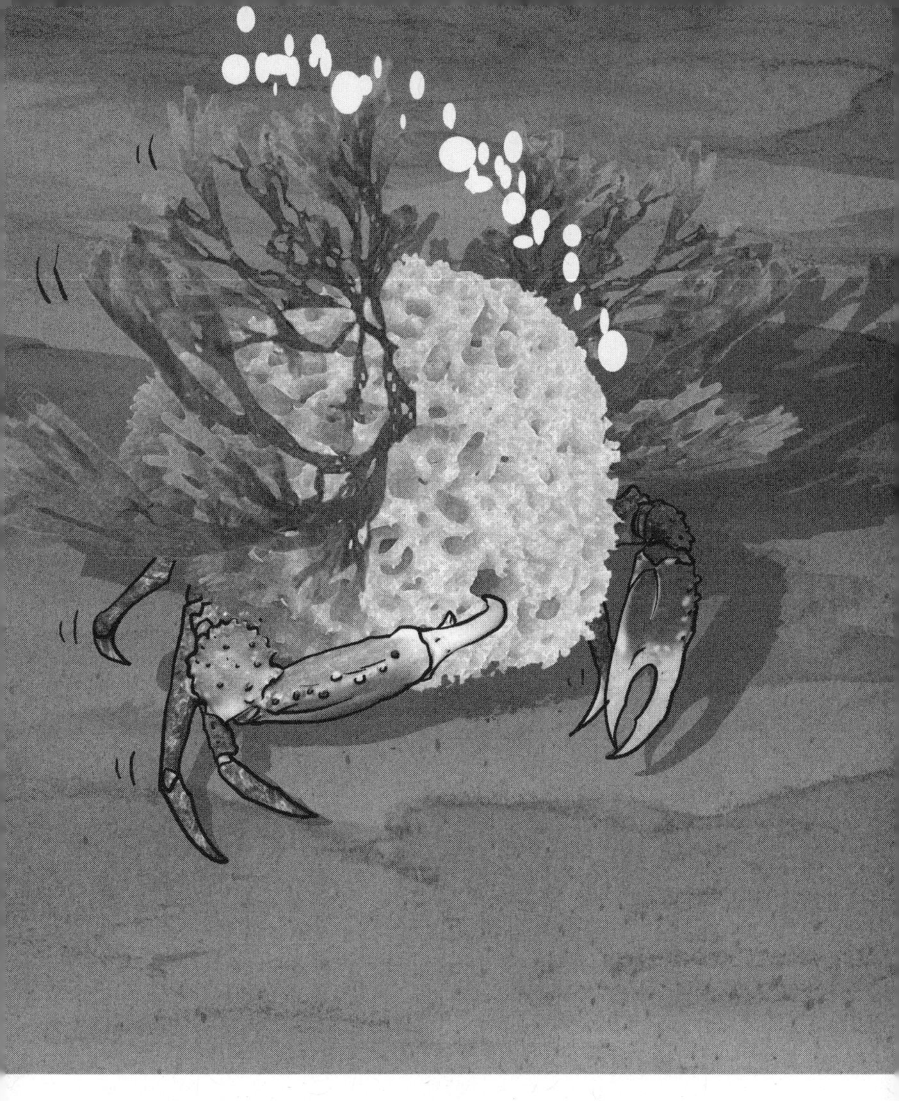

Savais-tu que les crabes araignées ont des poils crochus sur leur carapace ? Ils y attachent des fragments d'algues, des éponges et d'autres organismes à des fins de camouflage.

Savais-tu qu'il y a de minuscules crabes longs de quelques dizaines de millimètres seulement? Les crabes petits pois, par exemple, vivent pour la plupart en couple à l'intérieur

d'un mollusque. Au Japon, ils constituent un symbole de fidélité conjugale.

Savais-tu que le crabe araignée géant du Japon a une envergure (carapace et pattes déployées) de presque 4 mètres? D'un poids qui peut atteindre 20 kilos, il est le plus grand crustacé du monde.

HEU... RIEN, RIEN!
5

Savais-tu que quelques espèces de crabes sont toxiques ? Dans certaines régions du globe, le crabe marin à carapace blanche est considéré comme le plus vénéneux des animaux

marins. En attaquant le système nerveux, son poison provoque la paralysie des muscles respiratoires et peut entraîner la mort.

Savais-tu que les crabes terrestres se sont adaptés à la vie sur terre en transformant leurs branchies en sacs pulmonaires ? Les espèces aquatiques, quant à elles, gardent

de l'eau dans les cavités où sont logées leurs branchies pour pouvoir respirer quand elles sont sur la terre ferme.

Savais-tu que la plupart des crabes sont carnivores et s'attaquent à une grande variété de proies ? Les mollusques, les crustacés, les poissons et les jeunes tortues sont de

celles-là. Plusieurs espèces se nourrissent aussi de végétaux, de charogne et peuvent être cannibales.

EH, OH ! LAISSEZ M'EN!

Savais-tu que les crabes sont très utiles à l'homme ? Beaucoup d'espèces charognardes débarrassent les fonds marins et les rivages des matières organiques en décomposition.

Savais-tu qu'on estime les captures commerciales mondiales à plus de un million de tonnes par an ? Précieuse ressource alimentaire, la plupart des espèces de crabes sont comestibles et leur chair est grandement appréciée.

NON! FAITES-LE BOUILLIR 10 MINUTES. IL SERA DU BUFFET APRÈS LA CÉRÉMONIE...

Ce livre a été imprimé sur du papier contenant 100 %
de fibres recyclées postconsommation, certifié Écolo-Logo
et Procédé sans chlore et fabriqué à partir d'énergie biogaz.